KB077186

그대 **품** 안의 **향기**

이충근 시선집

그대 품 안의 향기

저자 _ 이충근

발행 _ 2023.11.30

펴낸이 _ 한건희

펴낸곳 _ 부크크

출판등록 _ 2014.07.15.(제2014-16호)

주소 _ 서울특별시 금천구 가산디지털1로 119 SK트윈타워 A동 305

전화 _ 1670-8316

info@bookk.co.kr

출판기획 _ **enBergen** (엔베르겐)

디자인 _ **enbergen3@gmail.com**

ISBN _ 979-11-410-5527-1

값은 표지에 있습니다.

그대 품 안의 향기

이충근 시선집

목차

Part 3. 우정으로

Part 4. 생활이니까

프롤로그

사람들은
운명의 만남을 꿈꾸고
운명의 만남을 믿는 듯 합니다
내 사랑은 어디서 뭘 하고 있을까
한순간 바람처럼 다가올 테지

하지만
비 오는 여름밤
개구리들이 밤새 울지 않고
개울가에서 조용히 기다리기만 한다면
예쁜 새들이 날개를 펼치지 않고
숲속에서 조용히 기다리기만 한다면
운명의 만남이 이루어질까요

그러므로 알아야 합니다
운명의 만남을 기다리지 말고
열심히 구하고 정성을 다해 사랑해야 함을

시들은

비 오는 밤 개구리들의 끊임없는 부름과

화려한 날개를 펼치는 공작새의 보임을 닮았습니다

시들의 부름과

그대의 다가섬도 운명의 만남입니다

Part 1.
자연 안에서

우후 언덕

실컷
낮잠을 자고 나니
비가 그쳤더라

헝클어진 머리를 만지며
언덕에 오르니
이야
어찌 이리도 푸르를 수 있는가

벌레 먹은 아카시아도
갈증 났던 벼포기도
불에 타버린 빈집까지도

먼지 한점 없는 너무나 맑은 바람을
온 맘과 온 몸으로 안으며
참으로 고운 세상에
내가 서 있구나

감꽃의 노래

빗물이
구슬처럼 구르고
하얀 감꽃들이 땅에 핍니다

빗물 팬 곳에
내 마음이 고이고
그 고임 속에
하얀 감꽃이 색을 잃어 갑니다

나는 그저

빗물을 막지 못하고
떨어지는 감꽃을 막지 못한 채
바라보는 물끄러미 입니다

연꽃

미소가 고와서
하얗게 피고

몸짓이 조용해서
호수에 놓였으니

피어있는 모든 날
화석인 양 바라볼 테다

쓰고 그린 전부를
고개 숙여 바칠 테니

문을 열어라
그리고 맞이해 다오

마냥 가고
또 가는 마음을

초애(草愛)

가을 풀밭
달빛 조명 아래
한가득 슬픈 눈으로
사랑을 헤아리던 풀잎

아 그날
그 가을밤
하늘하늘 흔들림은
달을 그리는 손짓이었는가
달을 안은 몸짓이었는가

작은 눈물이 솟고
그 눈물에 젖어
허공중에 흩뿌려진 풀향기

향기를 잃은 풀잎은
비에 젖어 바람에 꺾이고
눈에 덮여 사라져 갔네
아 풀잎 사랑이여

가을 풀벌레

은하의 커튼을 두른 달이
포근한 방석을 깔고 앉아
천지사방을 비추던 밤

시들어가는 풀밭에는
바쁘고 아쉬운 얘기들이
이슬방울에 젖고 있구나

나도 저들마냥
누군가와 밤새 얘기해 봤으면

술병이 비워지고
마신 술이
슬픔일지 기쁨일지 모를
눈물 되어 흐를 때까지

빗속의 추억

투둑 투둑 투두둑
비 오는 밤
창밖을 보며

빗소리만큼의
추억을 헤아려 봅니다

보이는가
떠났는가
숨었는가
어딘가는 있을 텐데

저 소리
빗소리
말없이 떨어지는
나의 많은 추억들

봄비 오는 소리

참으로
조용하고 고와라
저 새싹문 두드리는 소리

참으로
정겹고 맑아라
내 가슴문 토닥이는 소리

이런 날 나는
친구와 고향과 시를 그리고
사랑을 그리워하지

제비꽃아
오늘은 목욕하는 날이구나
나는 너의 보랏빛이 더 짙어지길 빌 테니
너는 내 맘이 변함없길 빌어다오

나무와 잎과 나

벌써 예쁜 단풍잎을 만들고 계시네요

모르시는 말씀
잎들에 주던 양분을 끊어서 그래요

양분을 주지 않는 나무가 원망스럽겠군요

모르시는 말씀
내년 봄을 위한 아픈 결심임을 아는걸요

이렇게 물들고 떨어져야 하니 마음이 아프겠어요

모르시는 말씀
내가 떨어져야 새잎이 생겨나는걸요

그래도 저는 이해할 수 없이 안타깝군요

그래서
나무와 사람은
말없이 바라만 보는 겁니다

눈(雪)

온 세상에
눈이 내립니다

소리도 없고 색깔도 없이
지붕 위에
마른 풀잎 위에
날개를 접습니다

그들의
만남과 대화는
포근한 이불이 되고

나는
그 이불속에서
끔뻑끔뻑
사랑을 생각합니다

여름날

비는
자꾸만
마음을 진정하라 하고

햇빛은
자꾸만
마음을 일으키라 하고

바람은
자꾸만
마음을 움직이라 하네

이것은
여름의 요정들이
내 귀에 속삭이는 것인가

Part 2.
생각 속에서

흐르는 달

저 달이 멀어져도
또 달이 가까이 듯

저 사랑은
추억 가루를 날리며 멀어지고
이 사랑은
소중함을 쥐여주며 곁에 있네

저 달이 스러져도
또 달이 가득 차듯

저 길은
아쉬움을 던져주며 흐려지고
이 길은
느낌을 쥐여주며 다가오네

그대의
힘든 술잔도
그대의
기쁜 술잔도

그냥 흐르는 달을 닮았으면

A4紙後(하얀 뒷면)

알아
앞면의 글과 그림이
무얼 말하는지
하지만
네 맘의 전부는 아닌 듯하고
나 또한 더는 알지 못해

그래도
하얗게 펼치고 기다리는 뒷면이 있으니
남겨둔 마음을 줘

그래 알겠어
지금 아니면 다음
다음 아니면 그다음에라도 줘

대신 이것만은 알아줘
하얀 뒷면에도
흘러갈 수 있는 강이 있고
날아갈 수 있는 하늘이 있고
씨뿌리고 꽃피어 거둘 초원이 있고
살아있는 모든 것들의 사랑이 있음을

것

눈표범의 거친 숨이
코앞에 다가서고
돌고래의 맑은 외침이
귓가를 거니네

긴 한숨은
나비와 꽃밭을 감싸 흐르고
한 생각은
물결이 되어 강을 거니네

깊이 들어온 바람이 멈춘 후
온 열정을 감싼 따스함이 식고
물이 되어 흐르고 날아오르니
남은 흔적들마저 스며드네

하지만 탓하지 않으리
모든 사라진 것들은
부시와 부싯돌의 스침처럼
새로운 불꽃을 피울 테니

기쁨의 밭

괴로움의 밭은
몇 평이나 될까요
얼마나 파고 일구어야
편함의 싹이 자라
웃음의 꽃이 피고
즐거움의 열매를 맺을 수 있을까요

즐거움의 밭은
몇 평이나 될까요
얼마나 외면하고 버려둬야
불편함의 잡초가 자라
근심의 꽃이 되고
괴로움의 무성함을 볼 수 있을까요

그냥
당신의 맘에 물어보세요
어느 것을 선택하고
어떻게 할지

시간의 강

시간은
신호등도 없이 흘러
강이 되고

그 강가에
헬 수 없는
모래알들을 남겼구나

시간은
강가의 모래알들을
만지고 또 만졌을 뿐
데려가진 않았구나

시간은
자연의 어제인가
사람의 오늘인가
신의 미래인가

바람처럼 물처럼 구름처럼

그 무엇도 걸리지 않고
그 누구도 대수롭지 않게 스치는
바람처럼

비수같이 날카로웠던 기억을 털어내며
거침없고 자신 있게 나아가라

깊은 곳과 넓은 곳에 개의치 않고
높은 곳과 낮은 곳을 가리지 않는
물처럼

얼음같이 굳었던 응어리를 녹이며
여유롭고 너그럽게 나아가라

크고 작음에 연연하지 않고
무겁고 가벼움을 탓하지 않는
구름처럼

모진 비바람에 젖었던 흔적을 말리며
자유롭고 환하게 나아가라

운명

멀리서 부르는 소리는 듣지 못해도
가까이서 부르는 소리는 들리듯

먼 곳에 있는 것은 보지 못해도
가까이에 있는 것은 보이듯

가까이 다가온 운명은
언뜻 들리고 보입니다
그렇게도 듣고 싶었고
그렇게도 보고 싶었는데

그러니
운명이 보일락 들릴락 하거든
이건가 아닌가
좋은데 싫은데 말고
그냥 그대로 받아 보아요

그 운명을 받아야
그 운명을 지나야
또 다른 운명이 다가올 테니

떠나갑니다

눈을 깜빡일 때마다
한 장면의 그림이 떠나갑니다

숨을 쉴 때마다
한 호흡의 느낌이 떠나갑니다

말을 할 때마다
한 조각의 감정이 떠나갑니다

걸음을 내디딜 때마다
한 줄의 기록이 떠나갑니다

손을 내밀 때마다
한 움큼의 정이 떠나갑니다

그것들은
당연한 듯 망설임 없이 떠나고

나도
그런 줄 알고 붙잡지 못합니다

우산 없는 빗속

우산도 없이
빗속을 걷고자 하는 마음을
헤아릴 수 있을까

우산도 없이
빗속에 서 있고자 하는 마음을
헤아릴 수 있을까

맞고 젖고
씻기고 지워지길
생각하고
각오해도

우산 없는 그에게도
우산 있는 나에게도
비는 내릴 뿐이니

멀어지는 것

실비오는 오후
구석진 교정에 앉은 나

어두운 달밤
들길을 거니는 나

소리도 들리지 않고
모습도 보이지 않아

애써 잡아야 하건만
잡을 수 있음을 잊어버린 체

멀어져감을 아파하는
마음만 가득 차는데

느리지도 빠르지도 않은
부엉이 소리가

잠들려 애쓰는 나를
뒤척이게 하는 밤

오니 가니 가니 오니

신선하고 스산함이 가야
매서움이 오고

에임과 매서움이 가야
무더움이 오고

무덥고 습함이 가야
시원함이 오고

그리고
다시 가고 오듯

오니 싫고 가니 싫다
가니 좋고 오니 좋다 말고

오고 가는 모든 것이 전부이고
가고 오는 모든 것이 소중함을

"시간은 모래알들을
만지고 만졌을 뿐
데려가진 않았구나"

Part 3.
우정으로

그의 이름

그의 이름은
섬 자락을 휘감고 도는 여객선처럼
유유하게 다가오는 정겨움

그의 이름은
앞산 어디쯤 보였던 산벚나무처럼
변함없이 피어나는 소중함

그의 이름은
어두운 골목길 누군가의 부름처럼
언제나 기다리는 다정함

아 그의 이름
불러본 게 언제던가

지금이라도
마음을 다해 불러보라

꽃과 꿀벌

그대와의 만남은
꽃이 꿀벌을 대하듯 했으면

꿀벌은 꽃가루와 꿀을 따지만
꽃은 당연한 듯 내어주니

그대와의 만남은
꿀벌이 꽃을 대하듯 했으면

꽃은 꽃가루와 꿀을 주지만
꿀벌은 당연한 듯 가져가니

그대와의 만남은
꽃과 꿀벌의 만남처럼

약속도 없이
스스럼없이 다가와

서로가 원하는 만큼
주고 받았으면

산마루에서 만난 친구

산마루에 올랐을 때
함께 오르던 친구들 보이지 않네
그들은
물처럼 느리게 보이지 않고
바람처럼 빠르게 보이지 않으니
앞만 본 세월과 뒤만 본 세월 속에 있는가

그때
박꽃 같은 손수건을 내게 쥐여준 이
힘들었지
가는 길은 함께 할게

어느새
등에 기대고
마음에 스며들어
소중한 꽃밭을 일구고 있네

오늘은 네가 끓인 차를 마시고
내일은 내가 구운 빵을 먹으며
이렇게 우리 둘 함께 해

두 손 꼬옥 잡고

두 맘 꼬옥 안고

기차놀이

하얀 구름
베틀에 넣어 고운 실 만들고
그 실로 새끼 꼬아
오던 길에 잃은 벗과
오던 길에 생긴 벗과

빨갛고 노란 나뭇잎
토실하게 여문 곡식
산꽃과 들꽃들의 향기가 있는
그곳에서
기차놀이 해 볼까

천사들의 나팔로
칙칙 소리 내고
요정들의 피리로
폭폭 소리 내며

둥근 눈을 찾아서

정을 구한 것은
맑은 물에 뛰어든 물감처럼
천천하고 찬찬한 스며듦과 어우러짐

정을 구하지 못한 것은
백지 위에 뛰어든 물감처럼
빠르고 아픈 상처와 흔적

정을 구한다는 건
어디 보자 살피는 세모 눈에 찔리고
이리하자 따지는 네모 눈에 부딪히며
나는야 자랑하는 별 눈에 상처받고서
온화하게 안아주는 둥근 눈과 만나는 것

그러므로
자신 있게 찾아 나서라
있으나 쉬이 보이지 않고
보이나 쉬이 알아보지 못하는
둥근 눈을 찾아서

정

그것은
멀리서 들려오는
목이 긴 사슴의 부름

그것은
짙은 구름 밑에 앉아
두 손으로 받는 빗물

그것은
온 들을 아득히 덮은
안개에 내미는 손

그것은
노을이 깔린 산천에
은은하게 울리는 종소리

너와 나의 관계

언제나
편하게 웃음 지으며 만납시다
편한 웃음마저 부담이 된다면
그땐 만나지 맙시다

언제나
스스럼없이 얘기합시다
스스럼없음마저 부담이 된다면
그땐 얘기하지 맙시다

그래도 언젠가
우리 서로 잊힌 듯 살다가
스치듯 지나칠 때
고개를 갸웃거릴 정도는 됩시다

친구와 한잔

그리도
아름다운 산호들이
이산화탄소를 먹고 산다네 글쎄

그리도
맑은 지하수가 석회암을 녹여
종유석 꽃을 피운다네 글쎄

그런가 하면 사람들은
산소만 좋아한다네 글쎄

그래서 어쩌라고
그렇다고 글쎄

내가 네게
네가 내게
얘기하는 모든 것이
전에도 지금도 후에도 있을 일이니

우린 그냥
술잔이나 비우세

"정,
그것은
온 들을 덮은
안개에 내미는 손"

Part 4.
생활이니까

말의 꽃

세상이 온통
말의 꽃들로 꽉 찼습니다

홀로 거닐며 내뱉은 사람의 말
뿌리를 덮으며 시든 풀잎의 말
구르는 낙엽을 바라보는 나무의 말
보이지 않는 바람의 말

이렇게도 말의 꽃은 많은데
들을 수도 볼 수도 알 수도 없습니다

오늘도
날아간 말을 스치며 되돌아오는 말과
다가선 말에 등 돌리며 멀어져가는 말과
내뱉고 담고 담고 내뱉는 말까지
쉼 없이 변함없이 피고 집니다

아마도
모든 것은 마음을 지녔을 테니
그 마음들이 말이 되었을 테고
이렇게 생겨난 말들이
끝내 꽃으로 승화한 것일 테지

아픈 마음

어느 날 나는
교회의 계단에 앉아 있었습니다

짙은 안개 속에서
하염없이 앉아 있었습니다

적막한 고요와
안개에 젖어가는 마음과
멍하게 멈춘 눈길

어느 하나 움직일 줄 몰랐습니다

바람도 달래지 못해
스쳐 지나가고

팔락이는 낙엽도
달래지 못해 멈추었습니다

혼술

나는 오늘 밤
술을 마시고 있습니다

어둠은 무겁게 내리고
비틀거리는 마음은
바람처럼 흔들립니다

말하지도 못하고
전하지도 못한 체
술잔을 채우고 비웁니다

눈물을 보이다가
헤프게 웃기도 합니다

나는 오늘 밤
스치듯 지나는 바람결에 기대어

눈물 맛 술잔을
흔들흔들
비우고 또 비웁니다

고뇌

아직
나의 밤은
더 길어야 하고

아직
나의 꿈나무엔
바람이 불지 말아야 하며

아직
나의 얘기와 외침은
좀 더 잠들어야 합니다

하여
마음속 제단에서
기도하노니

시작도 끝도 없는 것과
이룰 수 없는 것들을 잊게 하고

웃음을 만나
웃음의 위안을 받고
웃음을 따라 깨어나길

달팽이

사람들의 길에
자그만 달팽이가 기어가고 있습니다

천둥 치는 하늘과
시커먼 차바퀴도
아랑곳 없이

아마도 달팽이는 굳은 믿음이 있을 테지
내 집은 그 무엇도 부술 수 없다는

한 손길이
풀숲에 옮겨주며 말했습니다
여기 있으면 죽게 될지도 몰라

달팽이는 그러거나 말거나
또다시 기어가고 있습니다

그렇겠지
신께서도 인간들을 이리 보실 테지

화(火)

그대들이 던진 농이
뒤집혀 욕이 된 후

상대(人)에게 날아가
화(火)를 만들었구나

그것은
끓고 식고 얼었다가
끝내 눈물이 될 것이니

차가움 전의 따스함과
폭풍 전의 순풍을 생각하며

생겨나려는 점을
누르고
지우고
비워라

보는 방향

내가 태양을 보고자 할 때는
그림자를 볼 수가 없고

내가 그림자를 보고자 할 때는
태양을 볼 수가 없으니

위를 보는 것도
아래를 보는 것도
어려울 수밖에

내가 바람을 마주하고자 할 때는
머리카락을 볼 수가 없고

내가 머리카락을 보고자 할 때는
바람을 등져야 하니

앞을 보는 것도
뒤를 보는 것도
어려울 수밖에

다시 시작한다는 것

기다린다는 것은
호랑이 장가가는 날 같이
뜻하지 않은 결과를

잊어버린다는 것은
호수에 비친 가을하늘과 같이
진실하지 않은 결과를

시작한다는 것은
집에 두고 온 가방같이
되돌아보는 결과를

어쨌든
다시 소매는 걷어야 할 텐데

그대와 나의 만남

그대는
어느 곳에서 오셨고
어느 곳으로 가실 건가요

저 또한 그러하니
우리에게 주어진 시간은
잠시 잠깐뿐

켜켜이 쌓인 많은 얘길랑
눈빛에 담아 전하고
꼭 해야 할 말만 해 봐요

반갑고요
고맙고요
사랑합니다

근데 우리 다시 볼 수는 있을까요

공원의 벤치

벤치님
잠시 앉아도 될까요

비로 씻고
햇빛으로 말린 후
달빛을 덮고 잠드신다지요
그 세월이 헤아려집니다
암요 압니다
나무였던 시절을 그리워하신다는 거
태산의 암벽들과 함께였나요
넓은 초원을 가로지르는 시냇가였나요
제 맘대로 상상해 봅니다

벤치님
시인과 화가들은
푸르고 멋졌을 나무 때 찾아 왔나요
고즈넉이 자리한 공원의 벤치 때 찾아 왔나요
제 맘대로 헤아려 봅니다

인제 그만 가보겠습니다
벤치님의 팔걸이에
제 손의 따뜻함을 남깁니다

인연

햇빛과 바람과 습도
모두가 잘 버무려진 참 좋은 날
들길을 걸어 퇴근하다
잘 익은 강낭콩 하나를 땄습니다
아내에게 가을을 보여줘야지
주머니에 넣었던 걸 깜빡 잊었습니다
며칠 후
커피를 마시면서 꺼내 본 강낭콩은
껍질이 말라가고 있었습니다
콩깍지는 쓰레기통에 버리고
콩알은 만지작거리다
창문 밖으로 던졌습니다
토도독 또르르
두어 알은 풀밭으로
두어 알은 하수구로
창문을 닫고 커피잔을 드는 순간
아뿔싸
하수구에 빠진 콩들은
예쁜 꽃과 열매를 꿈꾸며 사라져갈 테지
나를 원망하겠구나
미안하다 강낭콩아
모두 화단에 던져줄걸

"웃음을 만나
웃음의 위안을 받고
웃음을 따라 일어나길"

그대 **품** 안의 **향기**

"그대의 다정스런 마음에서
참사랑 얻고싶네"